Por Kenneth E. Hagin

Parte I
NUESTRA CONFESIÓN NOS GOBIERNA

Una ley espiritual que muy pocos de nosotros comprendemos es: Nuestra confesión nos gobierna.

Al usar la palabra *confesión* la gente piensa instintivamente en la confesión de pecados. La Biblia sí dice que "si confesamos nuestros pecados, él es fiel y justo para perdonarnos nuestros pecados, y limpiarnos de toda maldad" (I Juan 1:9). Pero ése es el aspecto negativo de la confesión. La Biblia tiene mucho más que decir en cuanto al aspecto positivo — la confesión de nuestra fe.

ROMANOS 10:9,10

9   Que si confesares con tu boca que Jesús es el Señor, y creyeres en tu corazón que Dios le levantó de los muertos, serás salvo.
10 Porque con el corazón se cree para justicia, pero con la boca se confiesa para salvación.

Esto no se refiere a confesar pecado, sino a confesar a Jesús. Con el corazón el hombre cree, y con la boca el hombre confiesa que Jesús es el Señor.

PROVERBIOS 6:2

6   Te has enlazado con las palabras de tu boca, y has quedado preso en los dichos de tus labios.

Lo que decimos es nuestra confesión. Y nuestra confesión — las palabras que decimos — nos gobierna. Jesús lo dijo.

MARCOS 11:23

23 Porque de cierto te digo que cualquiera que dijere a este monte: Quítate y échate en el mar, y no dudare en su corazón, sino creyere que será hecho lo que dice, lo que diga le será hecho.

Meditemos en estas palabras de Jesús un poco

más, ". . .cualquiera que dijere . . . y no dudare en su corazón, sino creyere que será hecho lo que dice, lo que diga le será hecho."

¿Sabía Jesús lo que decía? ¿O eran éstas las palabras de un soñador o visionario irresponsable? ¡No! ¡Estas no son las palabras de un soñador! Jesús quería decir exactamente lo que dijo. ¿Y qué dijo que usted tendría? El dijo que tendría *lo que dijere.*

Si en verdad cree algo en su corazón — positivo o negativo — y lo dice con su boca, le será hecho. Jesús dijo que le sería hecho. Siempre es *con el corazón que el hombre cree,* y *con la boca que el hombre confiesa para* recibir cualquiera de las provisiones de Dios.

Fíjese en el modo en que estas dos frases de la Palabra de Dios dicen lo mismo con distintas palabras, ". . .con la boca se confiesa para . . ." (Romanos 10:10), y ". . .lo que diga le será hecho . . ." (Marcos 11:23).

HEBREOS 4:14
14 Por tanto, teniendo un gran sumo sacerdote que traspasó los cielos, Jesús el Hijo de Dios, retengamos nuestra profesión (confesión).

La misma palabra griega aquí traducida como "profesión" se ha traducido en otras partes de la

Versión Reina Valera como "confesión."
"Retengamos nuestra confesión," dice aquí a los cristianos. ¿Cuál es la confesión que hemos de retener, la confesión que debemos mantener? Es la confesión de nuestra fe en el Señor Jesucristo — la confesión de nuestra fe en Dios, nuestro Padre Celestial — la confesión de nuestra fe en la Palabra de Dios.

La mayoría de los cristianos — aunque sinceros — son débiles; la razón es porque nunca han tomado la iniciativa de confesar lo que la Palabra de Dios dice acerca de éllos. Nunca se han atrevido a decir que son lo que la Biblia dice que son — que son quienes la Biblia dice que son — y que tienen lo que la Biblia dice que tienen.

La verdad es que muchos mantienen una confesión errónea en vez de retener una confesión correcta. Una confesión errónea es una confesión de derrota, de fracaso, y de la supremacía de Satanás. Muchos siempre están hablando de lo que el diablo les está haciendo — manteniéndoles enfermos — manteniéndoles cautivos — de la prueba por la que están pasando — de lo difícil que es obtener la victoria . . . . Y mientras así se expresen, según Jesús, éso es lo que tendrán.

Conozco a muchas personas que no hablarían así

si se dieran cuenta de lo que están diciendo; pero ese tipo de confesión es una declaración inconsciente de que Dios, nuestro Padre Celestial es un fracaso.

¡Dios no es un fracaso! La derrota no es de Dios. Cuando se habla de derrota se habla de la obra del diablo. Dios no planeó que Su iglesia fuera derrotada. El dijo que las puertas del Hades no prevalecerían contra élla. (Vea Mateo 16:18.)

La Fe Demanda Expresión y Testimonio

El testimonio es parte de la vida de fe. Si desea desarrollar una fe vigorosa y fuerte, entonces diga continuamente lo que el Señor está haciendo en su vida. Mientras más hable de éllo, más real será El para usted. Mientras menos hable de éllo, menos real será.

La fe es como el amor. Es algo del corazón, del espíritu. Y como el amor, vive y encuentra su gozo en confesarse continuamente. En el ámbito natural, mientras más el esposo y la esposa se confiesan su amor mutuo, más crece.

Si nos fijamos cuidadosamente en la vida de Jesús notamos que desde el principio de su ministerio público hasta ser llevado a la cruz, El confiesa constantemente QUIEN ES ... QUE ES ... y SU MISION EN LA VIDA.

Por ejemplo, El dijo, "Salí del Padre, y he venido al mundo; otra vez dejo el mundo, y voy al Padre" (Juan 16:28). Esta es una confesión cuadruple. Abarca Su vida desde la Encarnación hasta la Ascensión.

Una de las confesiones más audaces que Cristo hizo fue "El que me ha visto a mí, ha visto al Padre" (Juan 14:9). ¡Qué confesión más atrevida! "Si quiere ver al Padre, véame a mí." En Juan 12 está escrito que El dijo, "...el que me ve, ve al que me envió. Yo, la Luz, he venido al mundo, para que todo aquel que cree en mí no perezca en tinieblas" (vs. 45-46).

Permítame repetirlo: Jesús constantemente confesó QUIEN ERA ... QUE ERA ... y SU MISION EN LA VIDA.

"Sí," alguien podría decir, "pero ése era Jesús, el hijo de Dios."

Es cierto; sin embargo la Biblia nos enseña que Jesús nos dejó un ejemplo y que debemos seguir sus pasos. Usted debería confesar constantemente quién es. No me refiero a quién es usted fisicamente hablando ... el hijo o la hija de fulano de tal que vive en tal y tal calle. ¡No! Sino quién es usted de acuerdo con la Palabra de Dios. Esa es la confesión que debemos retener.

I JUAN 3:1,2
1 Mirad cuál amor nos ha dado el Padre, para que seamos llamados hijos de Dios . . .
2 Amados, ahora somos hijos de Dios.

ROMANOS 8:14, 16-17
14 Porque todos los que son guiados por el Espíritu de Dios, éstos son hijos de Dios.
16 El Espíritu mismo da testimonio a nuestro espíritu de que somos hijos de Dios.
17 Y si hijos, también herederos; herederos de Dios y coherederos con Cristo . . .

¡Somos hijos de Dios, Hijos de Dios! ¡Somos herederos de Dios — coherederos con Cristo! Gozosamente confesamos nuestra relación con Dios. ¿En qué manera estamos relacionados con Dios? Somos nacidos de Dios. Hijos de Dios. El es nuestro propio Padre. Nosotros somos Sus propios hijos amados. ¡Atrevámonos a tomar nuestra posición como hijos e hijas de Dios y a confesar quiénes somos!

Descubra Lo Que La Palabra De Dios Dice
En Cuanto A Usted
Y Haga De Eso Su Confesión

Muchos a menudo me preguntan el camino a seguir para estudiar la Biblia. Aunque tengo varias sugerencias, he aquí la que más presento dondequiera que voy.

Usted como cristiano, como creyente, debe leer el Nuevo Testamento — especialmente las Epístolas. (Las epístolas son cartas escritas para usted, el creyente. Son escritas para la iglesia.) Al leer, busque todas las expresiones como las de: "en Cristo," "en El," "en quien," "por quien," etc. Con un lápiz de color subraye estas expresiones. Encontrará aproximadamente 140 expresiones de este tipo, la mayor parte en las epístolas. Algunas de éstas, sin embargo, no le dicen exactamente lo que tiene "en Cristo." Por ejemplo, el saludo de Pablo en una de las epístolas es: "Os saludo en el nombre del Señor Jesucristo." Este saludo contiene la expresión "en Cristo," pero no dice nada de lo que es nuestro por el hecho de estar "en Cristo."

También encontrará otras escrituras las cuáles comunican el mismo mensaje, sin usar las frases específicas "en El," etc. Sin embargo le dicen quién es usted, o qué es usted, o qué tiene usted porque está en Cristo.

Ahora bien, cuando encuentre estas escrituras — apúntelas. Luego medite en éllas. Comience a confesarlas. Comience a decir con su boca, "éste es el que soy, ésto es lo que soy, y ésto es lo que tengo en Cristo."

Haga esas confesiones, porque las confesiones de fe crean realidades. En lo que a Dios atañe, todo lo que usted tiene, o todo lo que usted es "en Cristo" es una realidad. Así lo ha dispuesto El. Todo lo que la Biblia dice que es nuestro, es legalmente nuestro. La Biblia es un documento legal sellado con la sangre de Jesucristo; sin embargo es su fe y su confesión lo que lo hace una realidad en su vida. Dios quiere que gocemos y conozcamos la realidad de lo que El ha provisto para nosotros — y Su Palabra nos dice cómo hacerlo.

Por ejemplo, vemos que Dios ha provisto para nosotros el Nuevo Nacimiento. Su Palabra nos enseña el modo en que esa salvación provista se convierte en realidad. Aunque a veces decimos, "Dios salvó a 'fulano de tal' anoche," sabemos que desde el punto de vista de Dios aquella persona no fue salva la noche anterior. Dios lo salvó cuando Jesucristo resucitó de la muerte. Aquella persona aceptó su salvación "anoche" y la redención que Dios había provisto hace unos 2000 años llegó a ser una realidad para él.

HEBREOS 9:12

12 Y no por sangre de machos cabríos ni de becerros, sino por su propia sangre, entró una vez para siempre en el Lugar Santísimo, habiendo obtenido eterna redención.

Jesús nunca tendrá que volver a hacerlo. Ya lo ha hecho. La provisión ya ha sido hecha. Romanos 10:10 nos explica cómo obtenemos la salvación en nuestras vidas particulares.

ROMANOS 10:10

10 Porque con el corazón se cree para justicia, pero con la boca se confiesa para salvación.

Siempre es con el corazón que el hombre cree — y con la boca que hace su confesión para salvación. Cuando usted cree algo en su corazón y lo confiesa con su boca, éso se convierte en realidad para usted. Las confesiones de fe crean realidades.

Al encontrarse con algunas de las frases "en

Cristo," "en El," "en quien," etc., puede que no las considere como realidades en su vida. Tal vez le parezca que no posee lo que las escrituras dicen que posee "en El;" sin embargo, si comienza a confesar con su boca, porque realmente cree la Palabra de Dios en su corazón, "esto es mío," y "este soy yo," y "esto es lo que tengo," entonces llegará a ser una realidad en su vida. En el ámbito espiritual ya es una realidad. Ahora deseamos que llegue a ser una realidad en el ámbito físico donde vivimos en la carne. Entonces, recuerde que al encontrar estos pasajes debe hacer lo siguiente:

1. Subrayar cada escritura.
2. Apuntarla.
3. Meditar en élla.
4. Hacer una confesión de élla.
5. Empezar a decirla con su propia boca.

Parte II
REALIDADES AL ESTAR EN EL

La Gran Confesión

ROMANOS 10:9,10

9 ...que si confesares con tu boca que Jesús es el Señor, y creyeres en tu corazón que Dios le levantó de los muertos serás salvo.

10 Porque con el corazón se cree para justicia, pero con la boca se confiesa para salvación.

Confesión: Creo en mi corazón que Jesucristo es el Hijo de Dios. Creo que El fue resucitado de los muertos para mi justificación. Le confieso como mi Señor y Salvador. Jesús es mi Señor. El domina mi vida. El me guía. El me dirige.

La primera confesión que debemos hacer es la de Jesús como nuestro Señor. Nacer de nuevo, llegar a ser hijos de Dios, he aquí la llave que nos abre todas las provisiones y promesas de Dios.

La confesión pública cambia nuestro señorío, define nuestra posición. La confesión del Señorío de Jesús inmediatamente nos pone bajo el cuidado y bajo la protección del Señor Jesucristo. El es nuestro

Pastor. Ya que le hemos confesado como Señor podemos seguir adelante y confesarle como nuestro Pastor. El Salmo 23 nos pertenece ahora. Jesús dijo, "Yo soy el Buen Pastor . . ." (Juan 10:14).

A veces amanezco confesando, "El Señor (Jehová) es mi Pastor. Nada me faltará. No me faltará habilidad. No me faltarán fuerzas. No me faltará dinero. No me faltará nada. El Señor es mi Pastor."

• • •

HECHOS 17:28
28 Porque en El vivimos, y nos movemos, y somos . . .

Confesión: *¡En El yo vivo . . . me muevo . . . y soy! ¡Qué almacén de poder más inmenso! ¡En Cristo mi Salvador y Señor tengo vida . . . energía . . . fuerzas para tareas imposibles!*

• • •

JUAN 15:5a, 7
5a Yo soy la vid, vosotros los pámpanos . . .
7 Si permanecéis EN MI, y mis palabras permanecen en vosotros, pedid todo lo que queréis, y os será hecho.

Confesión: *Yo permanezco en El, vivo en El. El es la vid, yo soy el pámpano. La vid está en el pámpano y el pámpano está en la vid. Su vida — la vida de Dios — está en mí. Su naturaleza — la naturaleza de amor — está en mí. Como la sangre fluye por mi cuerpo físico, Su vida fluye en mi hombre interior. Dejaré que esa vida y amor me dominen.*

Cuando uno nace de nuevo entra en la vida de Cristo. Esa es la única manera en que uno puede llegar a estar "en El." A la vez Jesús dijo, "si mis palabras permanecen en vosotros . . ." Permanecer significa vivir. Su Palabra vive en mí en la medida en que la practico. Muchos cristianos son nacidos de nuevo, y están en El, pero Su Palabra no permanece en éllos; por éso es que la oración no obra resultado en éllos. La Palabra permanece en mí en la medida en que la practico. La puedo memorizar, citar, y aún predicar, sin que la Palabra viva en mí. La Palabra vive en mí solamente en la medida en que la practico. Yo dejo que la Palabra reine en mí — enseñándome, gobernándome, dominándome. Yo dejo que la Palabra de Dios tome su lugar en mi vida como dejaría que Cristo tomara su lugar si El estuviera aquí en la carne.

• • • •

II CORINTIOS 5:17

**17 De modo que si alguno está en Cristo, nueva
criatura es; las cosas viejas pasaron; he aquí todas
son hechas nuevas.**

Confesión: *Yo soy una nueva criatura en Cristo
Jesús. Soy una nueva creación... con la vida de Dios
... la naturaleza de Dios ... y la habilidad de Dios
en mí.*

El cristiano no es renovado como se renueva un
colchón. Es una nueva criatura. No es simplemente
una renovación. Es una nueva creación ... algo que
nunca había existido. Una versión de la Biblia dice
que "es una nueva especie."

El cristiano, al nacer de nuevo, no obtiene un
nuevo cuerpo físico — aunque algún día lo obtendrá.
Es el hombre interior el que es una nueva creación.
El viejo hombre que allí residía ya no existe. El hombre interior es el verdadero usted. (Vea II Cor. 4:16.)
El hombre interior, el verdadero hombre, es la nueva
creación, tomando en sí la misma vida y naturaleza
de Dios. ¡Retengamos nuestra confesión de que somos
nuevas criaturas! Entonces el nuevo hombre en el
interior será manifestado al exterior a través de la
carne. Es importante que aprenda a dejar que el hom-

bre nuevo en el interior domine al hombre exterior.
Dios ve ese nuevo hombre "en Cristo" cuando nos ve
a nosotros. Nuestra apariencia es muchísimo mejor
en Cristo que fuera de El. Nosotros no podemos ver-
nos unos a otros en Cristo, nos vemos unos a otros
desde el punto de vista natural — pero Dios nos ve
en El.

•   •   •

EFESIOS 2:10
**10 Porque somos hechura suya, creados EN CRISTO
Jesús ...**

Confesión: *Soy hechura de Dios. El me ha hecho
una nueva creación.*

No nos hicimos nosotros mismos nuevas criaturas
— El nos hizo nuevas criaturas. Somos hechura Suya.
Debemos tener mucho cuidado de cómo hablamos
acerca de esa hechura. Tengamos cuidado de decir lo
mismo que El dice de esa hechura en Su Palabra.
Tengamos cuidado de no burlarnos de Dios diciendo,
"Ay, yo soy tan pobre y débil e indigno. Nunca llegaré
a ser nada." El no nos hizo esa clase de nuevas
criaturas. El nos hizo criaturas valiosas. El nos creó
nuevas criaturas capaces de permanecer en Su presen-

cia como si nunca hubieramos cometido pecado. El nos hizo nuevas criaturas justas. Comience a decir lo que en realidad es, en vez de decir lo que usted piensa que es.

• • •

II CORINTIOS 5:21
21 Al que no conoció pecado, por nosotros lo hizo pecado, para que nosotros fuésemos hechos la justicia de Dios en El.

Confesión: *Yo soy la justicia de Dios en Cristo. Mi posición ante Dios es segura. Mis oraciones pueden mucho.* (Vea Santiago 5:16).

Con confianza podemos declarar que Dios nos ha hecho justos. No lo hicimos nosotros; Dios lo hizo. El ser justos significa el tener una relación correcta con Dios. Jesús quien es justo se hizo nuestra justicia; por lo tanto podemos estar delante de la presencia de Dios como si nunca hubiéramos pecado. Podemos estar en la presencia de Dios sin ningún sentimiento de condenación o complejo de inferioridad espiritual.

• • •

ROMANOS 8:1
1 Ahora, pues, ninguna condenación hay para los que están EN CRISTO JESUS ...

Confesion: *Ya que estoy en Cristo Jesús, EN ESTE MOMENTO (tiempo presente), no hay ningún sentimiento de condenación en mí.*

• • •

I CORINTIOS 1:30

30 Mas por El estáis vosotros en Cristo Jesús, el cual nos ha sido hecho por Dios sabiduría, justificación y redención.

Confesión: *Cristo Jesús, mi Señor, es mi sabiduría. El es mi justicia. El es mi santificación. El es mi redención.*

• • •

ROMANOS 5:17

17 Pues si por la transgresión de uno solo reinó la muerte, mucho más reinarán en vida por uno solo, Jesucristo, los que reciben la abundancia de gracia, y el don de la justicia.

Confesión: *Yo he recibido abundancia de gracia y el don de la justicia. Reino como rey en mis dominios en esta vida a través de Jesucristo.*

La traducción Amplificada de la Biblia (en inglés) dice así, "...reinar como reyes en vida por Uno,

Jesucristo. . ." ¿Dónde vamos a reinar como reyes? En vida. En esta vida. ¿Y cómo? Por Jesucristo. Pablo usó esta ilustración ya que en los tiempos en que él vivió había reyes. En aquellos días el rey reinaba sobre sus dominios. Su palabra era la última palabra. Lo que él como rey decía era lo que sucedía. El reinaba. La Palabra de Dios dice que nosotros reinaremos en vida por Jesucristo.

• • •

En Quien Tenemos La Redención

COLOSENSES 1:13,14
13 el cual nos ha librado de la potestad de las tinieblas, y trasladado al reino de Su amado Hijo: 14 EN QUIEN tenemos redención por Su sangre, el perdón de pecados.

EFESIOS 1:7
7 EN QUIEN tenemos redención por su sangre, el perdón de pecados según las riquezas de Su gracia.

"En quien tenemos redención. . ." Qué agradecidos podemos estar por no tener que tratar de obtenerla. ¡Ya la tenemos! Estamos liberados de la autoridad de las tinieblas, del poder de Satanás. En virtud del Nuevo Nacimiento ya hemos sido liberados del reino de las tinieblas, y trasladados al reino de Su amado Hijo. Podemos vencer al diablo no importa dónde nos enfrentemos con él, o cuál sea la prueba. El dominio de Satanás se acabó y el dominio de Jesús empezó en nuestras vidas en el momento en que aceptamos a Jesús como Señor y nacimos de nuevo. Gálatas 3:13 nos dice que "Cristo nos redimió de la maldición de la ley, hecho por nosotros maldición porque está escrito: Maldito todo el que es colgado en un madero." Hemos sido liberados de la maldición de la ley. ¿Qué es la maldición de la ley? Vuelva a los primeros cinco libros de la Biblia y fíjese especialmente en la segunda mitad del capítulo 28 de Deuteronomio. En Cristo hemos sido redimidos de la maldición de la ley — la cual tiene tres aspectos: pobreza, enfermedad y la segunda muerte (la muerte espiritual) — y las bendiciones de Abraham son nuestras. (Véase Gálatas 3:14 y la primera mitad del capítulo 28 de Deuteronomio.) El dominio de Satanás sobre nosotros como nuevas criaturas en Cristo ha finalizado. ¡Jesucristo es nuestro Señor!

• • •

I PEDRO 2:24
24 quien llevó él mismo nuestros pecados en su cuer-

po sobre el madero, para que nosotros, estando muertos a los pecados, vivamos a la justicia; y POR CUYA herida fuisteis sanados.

MATEO 8:17

17 EL MISMO tomó nuestras enfermedades, y llevó nuestras dolencias.

Confesión: *Por sus llagas fui sanado. La Palabra de Dios me dice que fui sanado hace casi 2000 años por sus llagas. Si fui sanado, entonces estoy sanado. La sanidad me pertenece porque estoy en Cristo.*

Pedro recordando el sacrificio en el Calvario dijo: "por sus llagas fuisteis sanados." No dice *serán sanados,* sino *fuisteis sanados.* Dios recuerda el momento en el que puso sobre Jesús no solamente las iniquidades y pecados de todos nosotros, sino también nuestras enfermedades y dolencias. Jesús recuerda que El las llevó por nosotros. Por éso es que el Espíritu Santo inspiró a Pedro a que escribiera: ". . .y por cuya herida fuisteis sanados." Esto nos pertenece a nosotros porque estamos *en Cristo.* El lo ha provisto para nosotros. Confiese que Cristo es su redención. Confiese que está redimido. Confiese que Satanás ya no tiene dominio sobre usted — y mantenga esa confesión. Usted ya ha sido liberado del reino de las tinieblas. No permita que Satanás tenga más dominio sobre usted. No acepte la enfermedad. ¡Reúsela!

• • •

ROMANOS 8:2
2 **Porque la ley del Espíritu de vida en Cristo Jesús me ha librado de la ley del pecado y de la muerte.**

Confesión: *La ley de vida en Cristo Jesús me ha librado de la ley del pecado y de la muerte.*

El Dr. John G. Lake fue un misionero al Africa hace muchos años, antes del presente movimiento carismático. La mortal plaga bubónica atacó el lugar donde él se encontraba y centenares de personas murieron. El cuidaba y trataba a los enfermos y enterraba a los muertos. Finalmente los británicos enviaron un barco con provisiones y un équipo de médicos. Los médicos mandaron llamar a Lake y le preguntaron, "¿Qué ha estado usando para protegerse?"

"Señores," contestó el Dr. Lake, "yo creo que la ley del Espíritu de vida en Cristo Jesús me ha librado de la ley del pecado y de la muerte, y que mientras ande en la luz de esa ley de vida, ningún microbio o virus podrá afectarme."

"¿No cree que sería mejor si usara medios preventivos?" insistió el médico.

"No," dijo Lake, "pero doctor, creo que a usted le interesaría experimentar conmigo. Si usted se acerca a uno de los muertos y toma de la espuma que sale de los pulmones después de la muerte, y luego la pone bajo el microscopio, verá grandes cantidades de microbios vivos. Encontrará que permanecen vivos por cierto tiempo aun después de que la persona ha muerto. Puede llenar mi mano de éllos y yo la mantendré bajo el microscopio, y verá como esos gérmenes no permanecerán vivos, sino que morirán instantaneamente."

Los médicos se pusieron de acuerdo, hicieron el experimento y resultó cierto. Cuando expresaron asombro acerca de la causa, Lake les dijo, "es la ley del Espíritu de vida en Cristo Jesús."

• • • •

SANTIAGO 4:7
7 Resistid al diablo, y huirá de vosotros.

Al leer esta frase se sobreentiende que el sujeto de la misma es "vosotros." Vosotros resistid al diablo, y él huirá de vosotros. El huirá como si estuviera aterrorizado. Dios ya ha hecho todo lo que hará al respecto. El envió a Jesús y Jesús resucitó victorioso sobre el diablo. Ahora le toca a usted hacer algo al respecto. **Y usted puede hacerlo porque está "en El."** No es que el diablo esté atemorizado de usted como persona, no, pero cuando usted se da cuenta de sus derechos y privilegios en Cristo ... cuando se da cuenta de que el Nombre de Jesús le pertenece ... cuando él sabe que usted ha comprendido el poder de ese nombre, él huirá de usted aterrorizado.

• • •

I JUAN 4:4
4   Hijitos, vosotros sois de Dios, y los habéis vencido: porque mayor es el que está en vosotros, que el que está en el mundo.

Confesión: *Ya que estoy en Cristo, Mayor es el que vive en mí. El es Mayor que el diablo. Mayor que la enfermedad. Mayor que las circunstancias. ¡Y El vive en mí!*

No sólo somos nacidos de Dios, partícipes de Su amor, sino que Su Espíritu quien resucitó a Jesús de entre los muertos, también mora en nosotros. Tal vez se encuentre confrontando algún problema el cuál parece imposible. Ahora bien, en vez de hablar de la imposibilidad del caso, fije sus ojos en El, quien está dentro de usted, y diga: "Dios está en mí ahora." Su confesión de fe producirá que El obre a su favor. El surgirá dentro de usted y le dará éxito. El Maestro de la creación está en usted.

• • •

ROMANOS 8:37
37 Antes, en todas estas cosas somos más que vencedores POR MEDIO DE AQUEL que nos amó.

Confesión: *Yo soy un vencedor.*

Si la Palabra de Dios nos dijera simplemente que somos vencedores sería suficiente, pero nos dice que somos más que vencedores por medio de El. En vez de decir, "Me doy por vencido," levántese y diga lo que la Biblia dice acerca de usted. Diga, "¡soy un vencedor!" Tal vez no le parezca que es un vencedor — pero su confesión al respecto, de acuerdo con la Palabra de Dios, creará la realidad de lo mismo en su vida. Tarde o temprano llegará a ser lo que confiese. No tendrá miedo de ninguna circunstancia. No tendrá miedo de ninguna enfermedad. No tendrá miedo de ninguna situación. Confrontará la vida sin temor, ¡un vencedor!

• • •

FILIPENSES 4:13
13 Todo lo puedo EN CRISTO que me fortalece.

Confesión: *A través de Cristo, mi Señor, todo lo puedo. El me fortalece. No puedo ser vencido. No puedo ser derrotado. Todo lo puedo por medio de El.*

La carne y la razón humana nos limitarán a nuestra propia habilidad. Miramos a las circumstancias, los problemas, las pruebas, y las tormentas y decimos que no podemos. El lenguaje de duda, de la carne, y de los cinco sentidos dice, "No puedo. No tengo la habilidad, la oportunidad, ni las fuerzas. Me encuentro limitado." Mas el lenguaje de fe dice, "Todo lo puedo en Cristo que me fortalece." La fortalece de Dios es nuestra. No podemos confiar en nuestra propia fuerza — la Biblia no dice nada acerca de ser fuertes en nosotros mismos. Dice que Dios es nuestra fortaleza.

• • •

GALATAS 2:20
20 CON CRISTO estoy juntamente crucificado, y ya no vivo yo, mas vive Cristo en mí; y lo que ahora vivo en la carne, lo vivo en la fe del Hijo de Dios, el cual me amó y se entregó a sí mismo por mí.

Confesión: *Estoy crucificado con Cristo. No tengo que tratar de estarlo. Estoy crucificado juntamente con Cristo, y ya no vivo yo, mas vive Cristo en mí.*

COLOSENSES 1:26,27

26 el misterio que había sido oculto desde los siglos y edades, pero que ahora ha sido manifestado a sus santos,

27 a quienes Dios quiso dar a conocer las riquezas de la gloria de este misterio entre los gentiles; que es CRISTO EN NOSOTROS, la esperanza de gloria.

¡Cristo vive en mí!

EFESIOS 2:1, 4-6

1 Y él os dio vida a vosotros, cuando estabais muertos en vuestros delitos y pecados; . . .

4 Pero Dios, que es rico en misericordia, por su gran amor con que nos amó,

5 aun estando nosotros muertos en pecados, nos dio vida juntamente CON CRISTO, (por gracia sois salvos):

6 y juntamente con él nos resucitó, y asímismo nos hizo sentar en los lugares celestiales CON CRISTO JESUS.

Confesión: *Con Cristo fui crucificado. Cuando El*

fue vivificado y resucitado, yo fui vivificado y resucitado con El. Juntamente con El fui resucitado y sentado en los lugares celestiales con Cristo Jesús. Hoy en día, en cuanto a mi posición, estoy sentado con Cristo en los lugares celestiales.

• • •

FILIPENSES 4:19
19 Mi Dios, pues, suplirá todo lo que os falta conforme a sus riquezas en gloria EN CRISTO JESUS.

Confesión: *Todas mis necesidades están suplidas.*

• • •

EFESIOS 1:3
3 Bendito sea el Dios y Padre de nuestro Señor Jesucristo, que nos bendijo con toda bendición espiritual en los lugares celestiales EN CRISTO.

Fijémonos que no dice que El va a bendecirnos con algo, sino que ya lo ha hecho. Esto significa que en Cristo Jesús, desde el momento del Nuevo Nacimiento hasta pasar a la Eternidad, El ya ha hecho toda provisión para usted. El ya le ha provisto con todo lo que pueda necesitar. Es suyo. En la mente de Dios ya es suyo. Busque las provisiones de Dios para con Sus hijos en Su Palabra y haga que lleguen a ser una realidad en su vida en Cristo para la gloria de Dios el Padre.

EN CRISTO

Romanos 3:24	Gál. 2:4	Col. 1:28
Romanos 8:1	Gál. 3:26	1 Ts. 4:16
Romanos 8:2	Gál. 3:28	1 Ts. 5:18
Romanos 12:5	Gál. 5:6	1 Tim. 1:14
1 Cor. 1:2	Gál. 6:15	2 Tim. 1:9
1 Cor. 1:30	Efe. 1:3	2 Tim. 1:13
1 Cor. 15:22	Efe. 1:10	2 Tim. 2:1
2 Cor. 1:21	Efe. 2:6	2 Tim. 2:10
2 Cor. 2:14	Efe. 2:10	2 Tim. 3:15
2 Cor. 3:14	Efe. 2:13	Filemón 1:6
2 Cor. 5:17	Efe. 3:6	2 Pedro 1:8
2 Cor. 5:19	Fil. 3:13,14	2 Juan 1:9

EN EL

Hechos 17:28	Col. 2:6	1 Juan 3:3
Juan 1:4	Col. 2:7	1 Juan 3:5
Juan 3:15,16	Col. 2:10	1 Juan 3:6
2 Cor. 1:20	1 Juan 2:5	1 Juan 3:24
2 Cor. 5:21	1 Juan 2:6	1 Juan 4:13
Efe. 1:4	1 Juan 2:8	1 Juan 5:14,15
Efe. 1:10	1 Juan 2:27	1 Juan 5:20
Fil. 3:9	1 Juan 2:28	

EN EL AMADO

Efe. 1:6

EN EL SEÑOR

Efe. 5:8	Efe. 6:10

EN QUIEN

Efe. 1:7	Efe. 2:21	Col. 1:14
Efe. 1:11	Efe. 2:22	Col. 2:3
Efe. 1:13	Efe. 3:12	Col. 2:11
		1 Pedro 1:8

POR CRISTO

Romanos 3:22	2 Cor. 5:18	Fil. 4:19
Romanos 5:15	Gál. 2:16	1 Pedro 1:3
Romanos 5:17-19	Efe. 1:5	1 Pedro 2:5
Romanos 7:4	Fil. 1:11	1 Pedro 5:10
1 Cor. 1:14		

POR EL

1 Cor. 1:5	Col. 1:17	Heb. 7:25
1 Cor. 8:6	Col. 1:20	Heb. 13:15
Col. 1:16	Col. 3:17	1 Pedro 1:21

POR SI MISMO

Heb. 1:3	Heb. 9:26

POR SU SANGRE

Heb. 9:11,12	Heb. 10:19,20	1 Juan 1:7
Heb. 9:14,15		

POR QUIEN

Romanos 5:2	Romanos 5:11	Gál. 6:14

DE QUIEN

Efe. 4:16	Col. 2:19

DE CRISTO

2 Cor. 2:15	Col. 2:17	Col. 3:24
Fil. 3:12		

DE EL

1 Juan 1:5	1 Juan 2:27

POR MEDIO DE CRISTO

Romanos 5:1	1 Cor. 15:57	Fil. 4:6,7
Romanos 5:11	Gál. 3:13,14	Fil. 4:13
Romanos 6:11	Gál. 4:7	Heb. 10:10
Romanos 6:23	Efe. 2:7	Heb. 13:20,21

POR MEDIO DE EL

Juan 3:17	Romanos 8:37	1 Juan 4:9
Romanos 5:9		

CON CRISTO

Romanos 6:8	Efe. 2:5	Col. 3:1
Gál. 2:20	Col. 2:20	Col. 3:3

CON EL

Romanos 6:4	Romanos 8:32	Col. 2:13-15
Romanos 6:6	2 Cor. 13:4	Col. 3:4
Romanos 6:8	Col. 2:12	2 Tim. 2:11,12

POR MI

Juan 6:57	Juan 14:6

EN MI

Juan 6:56	Juan 15:4,5	Juan 16:33
Juan 14:20	Juan 15:7,8	

EN MI AMOR

Juan 15:9

EN SU NOMBRE

Mateo 18:20	Juan 14:13,14	1 Cor. 6:11
Marcos 16:17,18	Juan 16:23,24	

Los versículos siguientes no usan las frases específicas EN EL, EN QUIEN, etc. pero transmiten el mensaje de quiénes somos, lo qué somos, y lo que tenemos A CAUSA DE CRISTO. (Esta es una lista parcial simplemente.)

Mateo 8:17	Fil. 2:5	Santiago 4:7
Mateo 11:28-30	Fil. 2:13	1 Pedro 2:9
Mateo 18:11	Col. 1:13	1 Pedro 2:21
Mateo 18:18-20	Col. 1:26,27	1 Pedro 3:18
Mateo 28:18-20	Tito 2:14	1 Pedro 5:7
Marcos 1:8	Tito 3:7	1 Juan 1:9
Marcos 9:23	Heb. 2:9-11	1 Juan 2:1
Marcos 11:23,24	Heb. 2:14,15	1 Juan 3:2
Lucas 10:19	Heb. 2:18	1 Juan 3:14
Juan 4:14	Heb. 4:14-16	1 Juan 4:4
Juan 6:40	Heb. 7:19,22	1 Juan 4:10
Juan 10:10	Heb. 8:6	1 Juan 4:15
Juan 14:12	Heb. 9:24	1 Juan 5:1,4,5
Juan 14:23	Heb. 9:28	1 Juan 5:11,12
Juan 17:23	Heb. 10:14	Apo. 1:5,6
Gál. 3:29	Heb. 13:5b,6	
Gál. 5:1	Heb. 13:8	

(Todas las citas usadas han sido sacadas de la Biblia King James en inglés. Las diferentes expresiones podrían variar de acuerdo con la traducción en español que se use; sin embargo el significado interno seguiría siendo el mismo.)